Dans les châteaux forts

Phil Roxbee Cox

Illustrations : Sue Stitt et Annabel Spenceley
Maquette : Diane Thistlethwaite et
Vicki Groombridge

Directrice de la collection : Jane Chisholm
Experte-conseil : Anne Millard
Traduction : Nathalie Chaput
Remerciements à Andy Dixon

SOMMAIRE

À quoi servaient les châteaux ?

Les châteaux étaient les habitations des seigneurs et de leur famille. Ils servaient à les protéger ainsi que leurs serviteurs de leurs ennemis. On y abritait aussi chevaux et objets de valeur.

Les chevaux permettaient à une armée de se déplacer vite et loin. Ils étaient donc précieux.

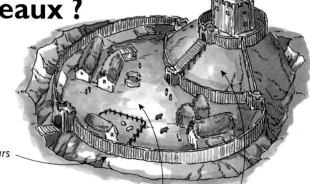

Voici un des tout premiers châteaux. C'est une tour élevée sur une motte.

Les palissades et les murs sont en bois.

La cour est large et close.

Cette butte de terre s'appelle une motte.

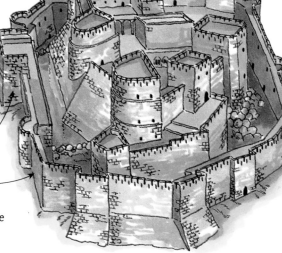

Cet immense château a été bâti au XIIIe siècle, au Moyen-Orient.

Les murs de pierre sont épais.

Remparts

Cette forteresse a été érigée au Soudan il y a environ 4 000 ans.

À quoi ressemblaient les châteaux ?

Il y en avait de toutes sortes. Les premiers châteaux ne comportaient qu'une tour en pierre, carrée et placée au centre : le donjon. Plus tard, d'autres bâtiments sont apparus.

Les châteaux ne datent pas tous du Moyen Âge, mais c'est pendant cette période de l'histoire qu'on en a construits le plus. Ce livre présente surtout des châteaux médiévaux.

Ce château japonais date du XVIIe siècle.

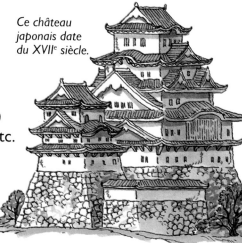

Qu'est-ce que le Moyen Âge ?

Ce nom désigne une période de l'histoire européenne. Ce qui se rapporte au Moyen Âge est dit médiéval.

Le Moyen Âge commence au Ve siècle et se termine au XVe siècle.

Un siècle dure cent ans. Le Ve siècle s'étend de 401 à 500 ans, le VIe de 501 à 600 ans, etc.

Les châteaux médiévaux se sont surtout développés pendant les 500 dernières années.

Qui les a construits ?

On construisait des châteaux pour les rois, les princes, les seigneurs et les riches propriétaires terriens. On faisait appel à des spécialistes tels que maçons et sculpteurs, ou à des ouvriers non qualifiés, qui aidaient aux gros travaux.

Où les construisait-on ?

Dans des régions où il fallait protéger les terres convoitées par les ennemis. On choisissait alors le meilleur emplacement : à proximité d'un point d'eau, avec une vue sur les alentours et avec le plus de défenses naturelles possible. C'est pour cette raison qu'on les élevait souvent sur des collines. Pour renforcer la sécurité, certains châteaux étaient également entourés de douves (voir ci-dessous).

Les douves, qu'est-ce que c'est ?

Les châteaux étaient souvent entourés d'un large et profond fossé plein d'eau : les douves. Elles servaient à empêcher l'ennemi d'entrer. On n'abaissait le pont-levis que pour les personnes autorisées.

Les attaquants ne pouvaient pas non plus creuser sous les murs du château, car le tunnel se remplissait d'eau venant des douves.

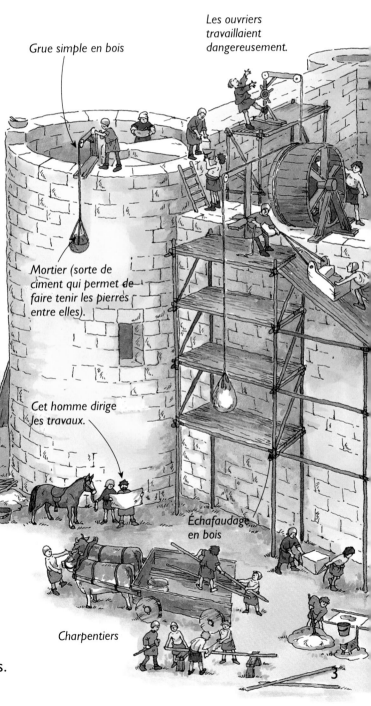

Cette scène illustre la construction d'un château en Europe au Moyen Âge.

Grue simple en bois

Les ouvriers travaillaient dangereusement.

Mortier (sorte de ciment qui permet de faire tenir les pierres entre elles).

Pierres provenant d'une carrière

Les accidents étaient fréquents.

Apprenti maçon

Roue branlante

Cet homme dirige les travaux.

Échafaudage en bois

Charpentiers

3

Qu'est-ce qu'un donjon ?

C'était un endroit sûr, à l'abri à la fois des ennemis et du mauvais temps. Les gens importants y demeuraient donc en sécurité avec leurs biens.

Voici à quoi ressemblait le donjon d'un des premiers châteaux médiévaux. On t'en présente une coupe pour que tu puisses voir à l'intérieur.

Qui vivait dans le donjon ?

Le seigneur et sa dame ainsi que leur famille vivaient dans le donjon, avec leurs chevaliers et leurs serviteurs dont des hommes d'armes, des pages, des écuyers, des dames d'honneur et un prêtre.

À mesure que les châteaux se développaient, les appartements des châtelains, souvent construits dans la cour, devenaient plus confortables.

Le savais-tu ?

Les riches prisonniers étaient rarement enfermés au cachot. On préférait les loger confortablement dans le château et demander une rançon : leurs amis devaient payer leur libération.

Le seigneur du château est très riche. Cet homme évalue sa fortune.

La fenêtre de la chapelle de ce donjon est la seule à être en verre.

Le seigneur et ses invités assistent à un banquet dans la grande salle.

Salle d'armes

On garde les prisonniers pauvres dans le cachot.

Invités en retard au banquet

Ce soldat fait le guet.

Voici les toilettes, ou garde-robe

Dans les cuisines, les serviteurs s'agitent.

Serviteur travaillant dur

Comme il n'y avait pas de réfrigérateurs, la nourriture périssable était conservée dans les pièces du bas, les plus fraîches.

Tonneaux de vin

Est-ce qu'il y avait des toilettes ?

Rien de semblable aux toilettes modernes. Il y avait des pots dans la chambre des châtelains, d'où le nom de pot de chambre. Les serviteurs avaient pour travail, entre autre, de vider ces pots.

Il y avait également des garde-robes, c'est-à-dire des sièges percés construits dans le mur et donnant directement sur l'extérieur du château.

Où penses-tu que... ?

Où penses-tu que donnaient les garde-robes ? Quels problèmes cela pouvait-il représenter ?

Où dormait-on ?

Les riches avaient des lits confortables entourés de rideaux. Les serviteurs devaient se contenter d'un pauvre matelas de paille qu'ils apportaient avec eux et posaient là où il y avait de la place, souvent dans la grande salle.

Prenait-on des bains ?

Oui. D'immenses tonneaux servaient de baignoires. On les déplaçait selon les besoins, et il fallait parfois une échelle pour entrer dans son bain !

Mais même les plus nobles ne se baignaient pas souvent.

Ce serviteur transporte des seaux remplis d'eau de la cuisine à la chambre à coucher du seigneur.

Que se passait-il dans l'enceinte d'un château ?

Le château était la demeure du seigneur. C'était aussi un endroit où garder l'argent et les récoltes que lui rapportaient ses terres. En temps de guerre, le château devenait un lieu où on venait se réfugier. Plus tard, on a cessé d'élever des donjons et on a construit des bâtiments contre les murs du château.

Qui vivait dans l'enceinte du château ?

Les nobles, les serviteurs, et les armuriers, les forgerons, les fléchiers, les palefreniers, les fauconniers et les grands veneurs.

Les armuriers fabriquaient les armures des soldats. Les forgerons façonnaient les fers à cheval. Les fléchiers taillaient les flèches. Les fauconniers dressaient les faucons pour la chasse. Les grands veneurs dressaient les chiens.

La bannière flotte.

Les ménestrels encouragent leur seigneur par des chants de victoire.

Cuisine

Grande salle

Chiens de chasse

Un chevalier *Son écu*

On prie pour la victoire.

On répare les armures.

Ces provisions proviennent d'une ferme voisine.

Les fantassins se préparent au combat.

On s'exerce au combat.

Le seigneur de ce château s'apprête à affronter l'ennemi. Tout le monde se met sous sa protection. Les animaux et les provisions sont rassemblés dans l'enceinte du château.

6

Quels animaux de ferme élevait-on ?

On en élevait peu. La plupart des animaux de ferme étaient élevés dans les fermes. On gardait cependant dans les châteaux quelques poules, oies et canards.

Dans certains châteaux, des pigeonniers abritaient des pigeons. Quand le château était assiégé, on amenait les gros animaux à l'intérieur pour les protéger.

Ce château, bâti à flanc de falaise, peut se protéger efficacement contre des ennemis venant de la mer.

Les hommes de guet guettent !

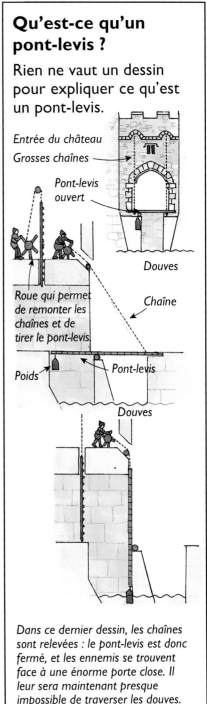

Qu'est-ce qu'un pont-levis ?

Rien ne vaut un dessin pour expliquer ce qu'est un pont-levis.

Entrée du château
Grosses chaînes

Pont-levis ouvert

Douves

Roue qui permet de remonter les chaînes et de tirer le pont-levis

Chaîne

Poids

Pont-levis

Douves

Dans ce dernier dessin, les chaînes sont relevées : le pont-levis est donc fermé, et les ennemis se trouvent face à une énorme porte close. Il leur sera maintenant presque impossible de traverser les douves.

7

Quels étaient les loisirs des nobles ?

Les nobles appréciaient les bons repas, les chants, les joutes (voir pages 24-25) et la chasse. Plus tard, la danse comptera aussi parmi leurs loisirs.

Comment les nobles chassaient-ils ?

Ils chassaient à cheval, parfois accompagnés d'une meute de chiens. Il leur arrivait aussi de pratiquer la chasse au faucon, la fauconnerie.

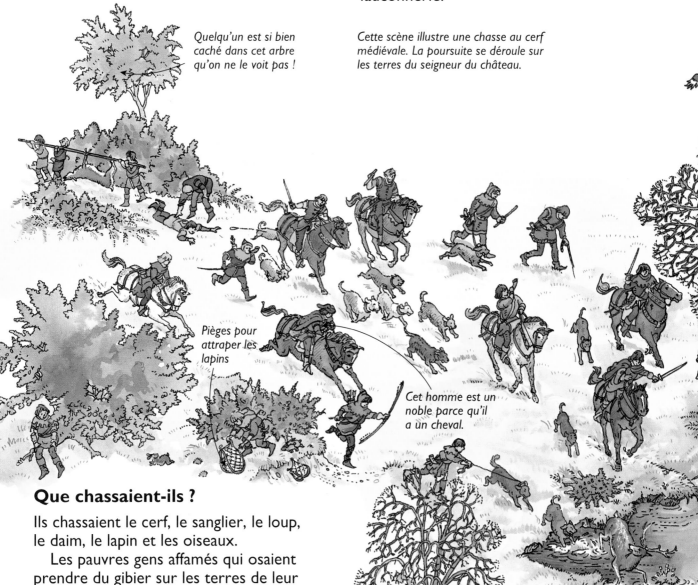

Quelqu'un est si bien caché dans cet arbre qu'on ne le voit pas !

Cette scène illustre une chasse au cerf médiévale. La poursuite se déroule sur les terres du seigneur du château.

Pièges pour attraper les lapins

Cet homme est un noble parce qu'il a un cheval.

Ce cerf se jette à l'eau pour perdre ses poursuivants.

Que chassaient-ils ?

Ils chassaient le cerf, le sanglier, le loup, le daim, le lapin et les oiseaux.

Les pauvres gens affamés qui osaient prendre du gibier sur les terres de leur seigneur étaient sévèrement punis. Le braconnage était formellement interdit.

Qu'est-ce que la fauconnerie ?

C'est l'art de chasser au moyen de faucons dressés spécialement pour rapporter du petit gibier.

Les nobles dames et les nobles seigneurs aimaient beaucoup la fauconnerie.

Ce sanglier se cache des chasseurs.

La fauconnerie était prisée par les dames.

Faucon dressé pour la chasse

Ce cheval s'est arrêté pour grignoter quelques feuilles.

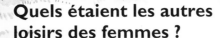

Quels étaient les autres loisirs des femmes ?

La broderie était un passe-temps très pratiqué, à ne pas confondre avec la tapisserie. Les nobles dames brodaient de petits objets, enveloppe de coussin par exemple, tandis que les tapisseries, plus grandes, étaient en principe exécutées par des tisserands.

Cette noble dame brode avec talent une enveloppe de coussin.

Tapisserie représentant une scène de chasse

Comment dressait-on les faucons à chasser ?

Il fallait pour cela beaucoup de travail, de soins et de patience.

Fauconnier

Faucon

Gant épais

L'oiseau sait que, s'il veut manger, il doit obéir à son maître.

On lui met un capuchon sur les yeux.

Laisse de cuir

L'oiseau sans capuchon mais tenu en laisse s'élance sur la nourriture qu'on lui jette en l'air.

Oiseau tué par le faucon

Le faucon bien dressé n'a plus besoin de laisse. Il attaque les petits oiseaux puis revient vers son maître.

9

Un chevalier, qu'est-ce que c'est ?

Tous les chevaliers étaient des hommes, mais peu d'hommes étaient chevaliers.

Il fallait d'abord être noble de naissance, puis suivre une formation de page et d'écuyer (voir pages 12-13).

Un chevalier jurait fidélité à son roi, à son pays et à son église. En échange, on l'appelait « sire », et il avait le droit d'arborer un blason sur son bouclier pour qu'on le reconnaisse facilement.

Comment étaient habillés les chevaliers ?

Dans les batailles et les tournois, ils portaient une armure. Au début, elle était en cuir épais et une longue chemise faite d'anneaux métalliques assemblés couvrait le corps. C'était la cotte de mailles, renforcée plus tard de plaques de métal articulées.

Voici un fléau d'armes. C'est une arme qui peut traverser le casque, ou heaume.

Ce chevalier combat pour son seigneur. Il arbore donc le blason de ce dernier sur son bouclier, ou écu.

Il fallait que les chevaux des chevaliers soient forts et puissants comme ceux-ci pour pouvoir porter le chevalier et son armure.

Qu'est-ce qu'un blason ?

C'est l'ensemble des emblèmes et symboles, les armoiries, composant l'écu.

Toutes les familles riches possédaient leurs armoiries. Elles les portaient sur leurs habits, leurs armures et leurs boucliers pour qu'on puisse les reconnaître. Au combat, les chevaliers étant casqués, il était en effet difficile de les identifier.

Blasons simples

Les armures rouillaient-elles ?

Oui, elles rouillaient si on n'en prenait pas soin. Ce sont l'écuyer et les pages qui devaient veiller à ce que l'armure de leur chevalier ne rouille pas. Pour cela, il fallait l'huiler et la polir.

Ce jeune page fait rouler un tonneau qui contient du sable mais aussi la cotte de mailles du chevalier. Grâce aux frottements, la rouille part.

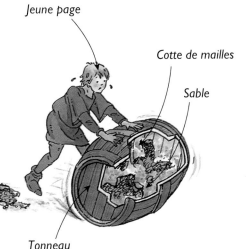

Jeune page

Cotte de mailles

Sable

Tonneau

Qui étaient les chevaliers de la Table ronde ?

Selon une légende celtique, quand le roi Arthur avait une décision importante à prendre, il conviait ses chevaliers, et tous ensemble ils siégeaient autour d'une immense table ronde dans le château de Camelot. Chacun avait sa place marquée, sans que l'un soit mieux que l'autre. D'où le nom de chevaliers de la Table ronde qui leur a été donné.

Ont-ils réellement existé ?

On pense que le roi Arthur a réellement existé et que des hommes combattaient pour lui. Parmi les plus célèbres citons Lancelot et Perceval. Ils n'étaient pas habillés comme les chevaliers illustrés dans les pages de ce livre, car ils ont sans doute vécu beaucoup plus tôt, vers 500.

Le roi Arthur est souvent représenté, comme ici, portant une armure qu'il lui aurait été impossible de porter dans la réalité.

Autres blasons

Puis-je avoir mon propre blason ?

Pourquoi pas ? Tu peux t'inspirer des armoiries illustrées sur ces deux pages pour concevoir et dessiner ton propre blason.

Dans certains pays toutefois, il faut respecter certaines règles très strictes concernant ce que l'on peut ou non représenter sur son blason.

Qui pouvait être chevalier ?

Tout homme de bonne naissance (c'est-à-dire riche) qui avait été page puis écuyer pouvait devenir chevalier.

Ni les hommes de condition modeste, ni les femmes ne pouvaient être armés chevaliers.

Ce jeune garçon rejoint le château de son oncle pour y devenir page.

Ses parents sont tristes mais fiers de lui.

Ces garçonnets écoutent des récits de batailles gagnées... ou perdues.

Abaque

Ce page fait des calculs simples à l'aide d'une sorte de boulier, un abaque.

Le seigneur

Sa dame

Le travail de page consistait aussi à servir les repas du seigneur et de sa dame.

Les nappes existaient déjà !

Pourquoi devenait-on page ?

C'était le premier pas sur le chemin de la chevalerie. En général, les garçons devaient quitter leur foyer. On leur enseignait les bonnes manières, le maniement des armes et on leur donnait une éducation de base.

La lecture et l'écriture

À l'origine, personne ne s'en souciait. Les chevaliers n'avaient qu'une idée en tête, se battre, et savoir lire et écrire semblait inutile. Plus tard, cette attitude changea, et les pages apprirent à lire et à écrire.

Les flèches n'atteignent pas souvent leur but !

Gare à celui qui se trouve sur son chemin !

Ce page-ci apprend à tirer à l'arbalète. Il a encore beaucoup de progrès à faire.

Ce page-là s'entraîne à monter et à manier la lance. Son équilibre est encore précaire.

Cet écuyer est devenu un excellent cavalier. Il doit aussi être fort pour porter sa lourde armure.

Ces jeunes écuyers aident un chevalier à enfiler son armure.

Quel était le rôle d'un écuyer ?

Un écuyer devait s'occuper de son chevalier. Il l'aidait à s'habiller, entretenait ses armes et soignait ses chevaux. On devenait écuyer quand on avait réussi sa formation de page.

Qu'est-ce que l'adoubement ?

C'était une cérémonie au cours de laquelle l'écuyer était armé chevalier par son seigneur ou roi. Celui-ci posait une épée sur son épaule et le déclarait chevalier.

Blason

Cet homme en armure est un écuyer sur le point d'être adoubé, ou fait chevalier.

Lors d'une autre cérémonie, on donne des éperons à l'écuyer adoubé.

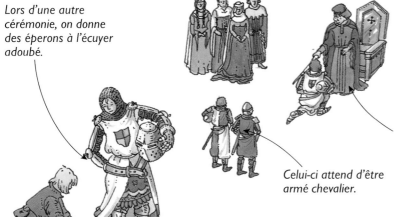

Lors de l'adoubement, le seigneur pose une épée sur l'épaule de l'écuyer.

Celui-ci attend d'être armé chevalier.

Éperons

13

De quelles armes se servait-on ?

Les simples soldats se servaient aussi bien de grosses pierres que de canons. Une pierre qu'on laissait tomber du haut du corps de garde d'un château sur la tête d'un ennemi se révélait souvent une arme très efficace. Les véritables canons ne sont apparus qu'au XVe siècle.

Les fusils existaient-ils ?

Dans les années 1320, il existait bien quelques armes à feu mais elles étaient pratiquement inutilisables : il était difficile de viser avec précision et elles se retournaient souvent contre le tireur lui-même !
Les arcs et les flèches étaient beaucoup plus efficaces et donc plus utilisés. Ils permettaient d'atteindre des cibles très éloignées.

Qui se servait d'arcs ?

Seuls les soldats s'en servaient. Les chevaliers utilisaient des épées, des fléaux d'armes et des lances. Il y avait deux sortes d'arcs : les arcs simples et les arbalètes.

Cette armée de soldats tire sur l'ennemi de l'autre côté de la vallée. Seul le cavalier est un chevalier.

Arc

Piquiers armés de piques

La bombarde fait feu.

Arbalète

Arbalétrier

Ce jeune garçon aide les soldats (ce n'est pas un page).

Soldat qui charge son arbalète.

Voici un des premiers canons : c'est une bombarde.

Boulet pour alimenter la bombarde

Pourquoi y avait-il plusieurs sortes d'arcs ?

Voilà une bonne question ! Nous te la posons à notre tour : pourquoi certains soldats se servaient-ils d'un arc et d'autres d'une arbalète ? Reporte-toi page 32 pour connaître la réponse.

Arc

Cette illustration représente un archer médiéval qui arme son long arc.

Y avait-il des tanks ?

Même si la réponse est non, cette question n'est pas dénuée de sens, car les soldats médiévaux utilisaient un appareil appelé tour de siège qui ressemblait à un tank : c'était une vaste structure de bois qui contenait des soldats en armes et qu'on pouvait hisser jusqu'à la crête des remparts.

Qu'est-ce qu'un fléau d'armes ?

C'était une arme très meurtrière, une sorte de bâton relié par une chaîne à une boule de métal hérissée de pointes.

Le chevalier faisait tournoyer le fléau d'armes au-dessus de lui et en frappait son ennemi.

Fléau d'armes

Lance

Voici un sergent d'armes. Il tient le chevalier au courant du déroulement des combats.

Le savais-tu ?

En étudiant les pierres tombales des chevaliers, nous savons quelles armes et quelles armures ils portaient. On a retrouvé des portraits de chevaliers sur des plaques de cuivre vissées sur les pierres tombales (celles-ci étaient couchées et non pas debout).

Voici un exemple de ces plaques tombales en cuivre.

Plaque tombale en cuivre

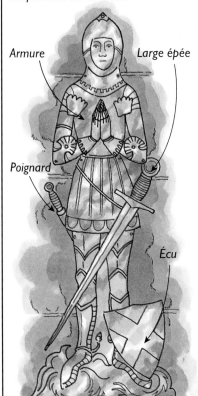

Armure

Large épée

Poignard

Écu

Quelles fêtes donnait-on dans un château ?

Les fêtes pouvaient attirer beaucoup de monde et être très bruyantes !
La nourriture de cette époque dépend de la période historique considérée, du pays et de la saison. Mais le plus souvent, les fêtes étaient bien arrosées et très joyeuses.

Où mangeait-on ?

Dans la grande salle dans le logis du seigneur. Nobles et hôtes de marque partageaient la table du seigneur et de sa dame. Les invités moins importants se tenaient devant, autour de tables plus basses. Les serviteurs et les paysans n'étaient pas invités.

Un page fait le service.

Ce cygne a été plumé et cuit. Ensuite on lui a remis ses plumes pour présenter joliment le plat.

Cet invité a un peu trop forcé la dose.

Corne remplie de vin

Table d'honneur

On mange avec ses doigts et des couteaux. Il n'y a pas de fourchettes.

Ce ménestrel joue du luth.

Comme assiettes, on utilise de grosses tranches de pain rassis (tranchoirs). Après, on les distribuera aux pauvres.

On jette les déchets par terre. Ils ne sont pas perdus pour tous !

Cette table est en fait un assemblage de planches de bois posées sur des supports.

16

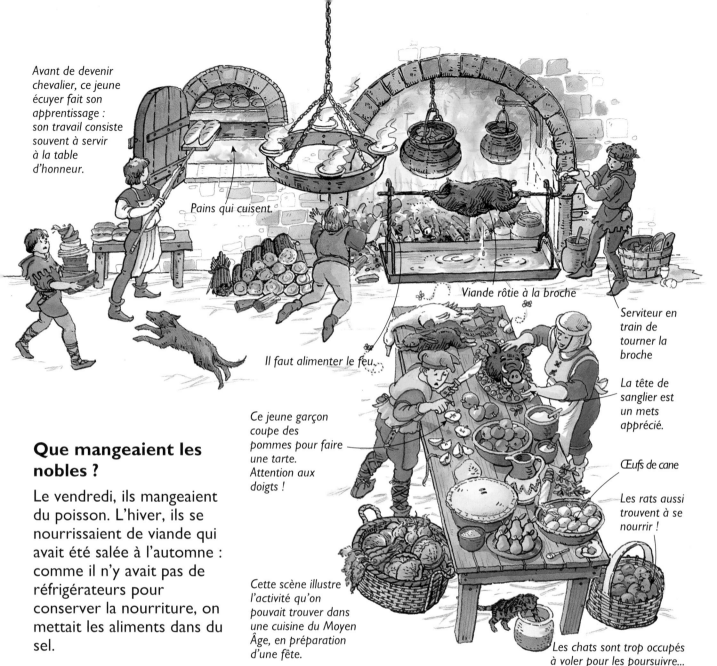

Avant de devenir chevalier, ce jeune écuyer fait son apprentissage : son travail consiste souvent à servir à la table d'honneur.

Pains qui cuisent.

Viande rôtie à la broche

Il faut alimenter le feu.

Serviteur en train de tourner la broche

La tête de sanglier est un mets apprécié.

Ce jeune garçon coupe des pommes pour faire une tarte. Attention aux doigts !

Œufs de cane

Les rats aussi trouvent à se nourrir !

Cette scène illustre l'activité qu'on pouvait trouver dans une cuisine du Moyen Âge, en préparation d'une fête.

Les chats sont trop occupés à voler pour les poursuivre...

Que mangeaient les nobles ?

Le vendredi, ils mangeaient du poisson. L'hiver, ils se nourrissaient de viande qui avait été salée à l'automne : comme il n'y avait pas de réfrigérateurs pour conserver la nourriture, on mettait les aliments dans du sel.

Où faisait-on la cuisine ?

À ton avis ? Dans une cuisine, bien sûr ! Dans certains châteaux, la cuisine était située dans le donjon (voir le château page 5). Parfois, un abri dans la cour suffisait.

Comment ?

On faisait bouillir les légumes, et généralement rôtir la viande sur une grande broche disposée devant le feu. On recueillait la graisse qui tombait et on en badigeonnait des tranches de pain.

Qu'est-ce que la famine ?

Il y a famine quand il n'y a rien à manger dans un pays, à cause du mauvais temps qui anéantit les récoltes. À cette époque, cela arrivait aussi quand des ennemis détruisaient les provisions pour affamer une population.

Où vivaient tous ceux qui n'habitaient pas les châteaux ?

À cette époque, la plupart des gens étaient des paysans. Ils vivaient dans la campagne autour du château ou dans des villages. Les terres appartenaient à leur châtelain, mais ils y vivaient et la cultivaient pour lui.
Il y avait encore peu de villes.

À quoi ressemblaient les maisons des paysans ?

Elles étaient petites et rudimentaires, avec souvent une seule pièce et des fenêtres sans vitres. Les toits étaient en chaume, les sols en terre battue et les murs en clayonnage.

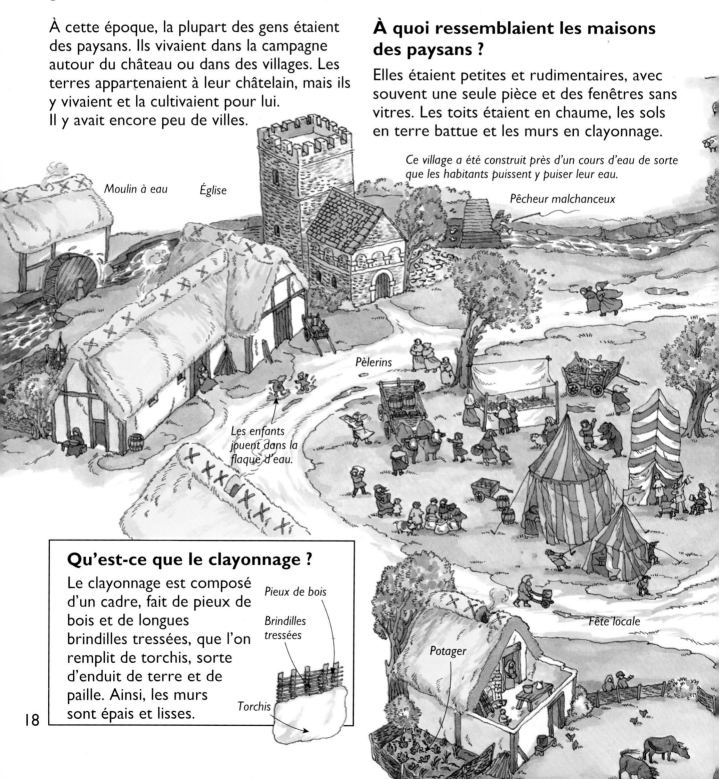

Ce village a été construit près d'un cours d'eau de sorte que les habitants puissent y puiser leur eau.

Moulin à eau

Église

Pêcheur malchanceux

Pèlerins

Les enfants jouent dans la flaque d'eau.

Fête locale

Potager

Qu'est-ce que le clayonnage ?

Le clayonnage est composé d'un cadre, fait de pieux de bois et de longues brindilles tressées, que l'on remplit de torchis, sorte d'enduit de terre et de paille. Ainsi, les murs sont épais et lisses.

Pieux de bois

Brindilles tressées

Torchis

18

En réalité, un village ne possédait pas à la fois un moulin à eau et à vent.

Les forêts n'étaient pas sûres. Il y avait des loups et des voleurs.

Le linge sèche au grand air.

Auberge

Écurie

De quoi vivaient les villageois ?

La plupart travaillaient la terre. Ils vivaient de la culture et de l'élevage. Les bonnes années, ils avaient assez pour se nourrir et en vivre. Mais le châtelain leur prenait une grande partie de leurs productions.

Que se passait-il dans le village ?

Le village était un lieu de rencontre. Les villageois s'y retrouvaient, mangeaient et priaient ensemble. Il y avait un marché où l'on achetait et vendait les produits. Les voyageurs pouvaient dormir dans les auberges.

La campagne était-elle sûre ?

La campagne n'était pas sûre : il fallait en effet affronter des loups affamés en hiver ainsi que de nombreux voleurs. Au contraire des châteaux, les villages n'étaient pas protégés par de hauts murs ou des gardes.

19

Tourne la page pour en savoir plus.

Les villes médiévales

Ceux qui ne vivaient ni dans les villages ni en pleine campagne habitaient les villes. Elles s'étendaient souvent autour d'un château. Au fil des siècles, bien des châteaux ont disparu mais les villes sont toujours là.

Qui vivait en ville ?

La plupart des artisans, des commerçants et des marchands, et leur famille, vivaient en ville. Ceux qui exerçaient la même profession se regroupaient souvent dans une même rue. Les artisans formaient des associations, appelées guildes. En ce temps-là, la vie était plus facile en ville qu'à la campagne.

Auparavant, il n'y avait qu'un château, mais au fil des ans, la ville s'est développée à ses pieds.

Les membres de la guilde se réunissent dans ce bâtiment.

Place du marché

Église

Cette scène représente une ville médiévale.

Magasins

Ouvrier qui répare un toit.

Le moulin permet de moudre le grain.

Les murs épais et les tours gardées permettent de se protéger.

Pont-levis

Grenier pour abriter les récoltes

Un monastère surplombe la ville.

Y avait-il des animaux en ville ?

On ne trouvait pas d'animaux de ferme, mais il y avait des chevaux pour le transport et... des puces, des poux, des souris et des rats ! Les chiens erraient dans les rues.

La ville sentait-elle bon ?

Pas vraiment, car il n'y avait ni machines à laver, ni salles de bains, ni toilettes, et les habitants jetaient leurs ordures dans les rues.

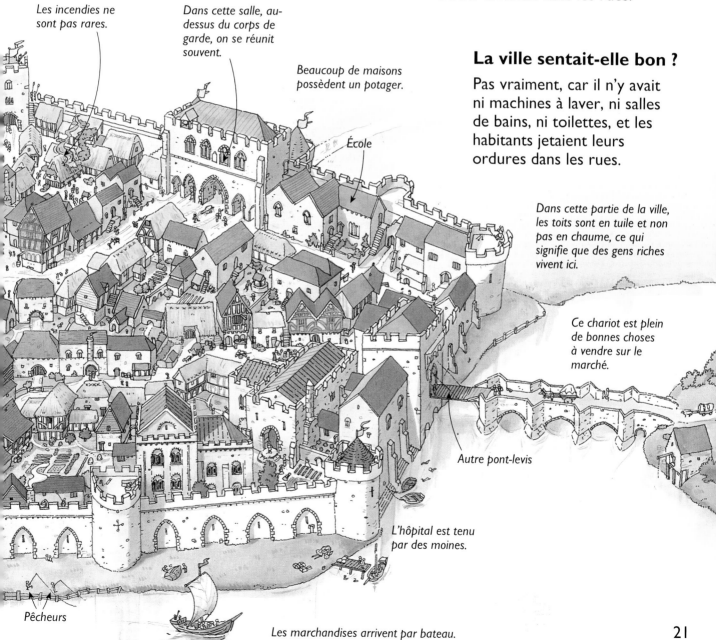

Les incendies ne sont pas rares.

Dans cette salle, au-dessus du corps de garde, on se réunit souvent.

Beaucoup de maisons possèdent un potager.

École

Dans cette partie de la ville, les toits sont en tuile et non pas en chaume, ce qui signifie que des gens riches vivent ici.

Ce chariot est plein de bonnes choses à vendre sur le marché.

Autre pont-levis

L'hôpital est tenu par des moines.

Pêcheurs

Les marchandises arrivent par bateau.

21

Qu'est-ce qu'un monastère ?

C'est un bâtiment habité par des moines ou des moniales. Ces hommes et ces femmes qui ont choisi de servir Dieu doivent faire vœux (promettre) de ne rien posséder, de ne pas se marier et d'obéir à leurs supérieurs.

Qui dirige un monastère ?

Un monastère dirigé par un abbé, ou une abbesse, s'appelle une abbaye, un prieuré s'il est dirigé par un prieur, ou une prieure. Les monastères suivent des règles strictes, qui ont été édictées pour la première fois par saint Benoît de Nursie au VIe siècle.

Les moines travaillent durement aux champs.

Église

Le cloître est formé de galeries ouvertes entourant une cour ou un jardin.

Vitrail

Fleurs

Cette scène représente une vue en coupe d'un monastère pour te permettre de voir l'intérieur.

D'autres moines viennent voir les reliques (les os) d'un saint conservées dans ce monastère. On leur donnera à manger et un abri pour la nuit.

Les moines dorment dans un dortoir.

Cuisine

Potager

Comment devient-on moine ?

Il faut être chrétien. Au départ, on est novice, c'est-à-dire qu'il faut suivre les règles et apprendre à vivre dans un monastère. Ce n'est qu'après avoir prononcé ses vœux qu'on peut devenir moine. Certaines personnes y renoncent parce que c'est une vie difficile, d'autres au contraire mettent toute leur existence au service de Dieu.

Que faisaient les moines de l'époque ?

Les moines priaient. Ils soignaient les malades, éduquaient les pauvres, les nourrissaient et leur donnaient de l'argent. Ils passaient leur vie à aider les autres. Ils cultivaient aussi leurs champs, fabriquaient de la bière et élevaient des abeilles. Ils travaillaient beaucoup et vivaient paisiblement.

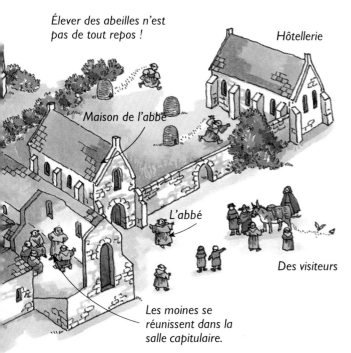

Élever des abeilles n'est pas de tout repos !

Hôtellerie

Maison de l'abbé

L'abbé

Des visiteurs

Les moines se réunissent dans la salle capitulaire.

Cette illustration datant du XVᵉ siècle représente une dame qui écrit un manuscrit.

Le savais-tu ?

Au Moyen Âge, seules quelques rares personnes savaient lire et écrire. Les premiers documents retraçant des événements locaux ont été écrits par des religieux ou des religieuses. Écrits à la plume d'oie et magnifiquement décorés, on les appelle des manuscrits enluminés.

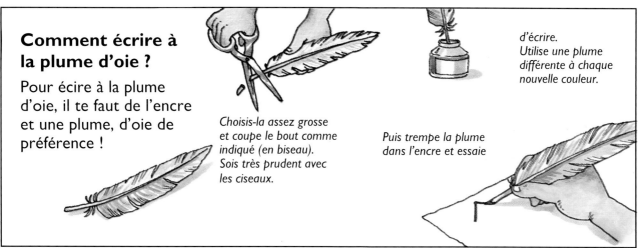

Comment écrire à la plume d'oie ?

Pour écire à la plume d'oie, il te faut de l'encre et une plume, d'oie de préférence !

Choisis-la assez grosse et coupe le bout comme indiqué (en biseau). Sois très prudent avec les ciseaux.

Puis trempe la plume dans l'encre et essaie d'écrire. Utilise une plume différente à chaque nouvelle couleur.

Qu'est-ce qu'une joute ?

C'était un combat courtois à cheval, de chevalier à chevalier, avec la lance. La joute se déroulait devant une foule enthousiaste. Parfois, mais rarement, il y avait des morts.

Qu'est-ce que le jugement de Dieu ?

Il pouvait arriver que les deux chevaliers, en conflit, s'affrontent jusqu'à la mort. Ils remettaient leur sort entre les mains de Dieu. Ce combat mortel ne doit pas être confondu avec une joute.

Un voleur en action

Ours qui danse.

Trompette

Le seigneur du château

La couronne de laurier pour le vainqueur

Le héraut : c'est celui qui annonce le nom des combattants dans un tournoi.

Cette tribune est la mieux placée. Les sièges sont réservés aux personnages les plus riches et les plus importants.

Au lieu de surveiller les voleurs, ce garde préfère regarder le tournoi.

Ces amuseurs espèrent quelques pièces en échange de leur spectacle.

Quelles étaient les récompenses ?

Le vainqueur avait le droit de prendre l'armure et le cheval du vaincu. Il pouvait soit les garder, soit les revendre au perdant. Certains chevaliers gagnaient leur vie de cette façon, en allant de joute en joute.

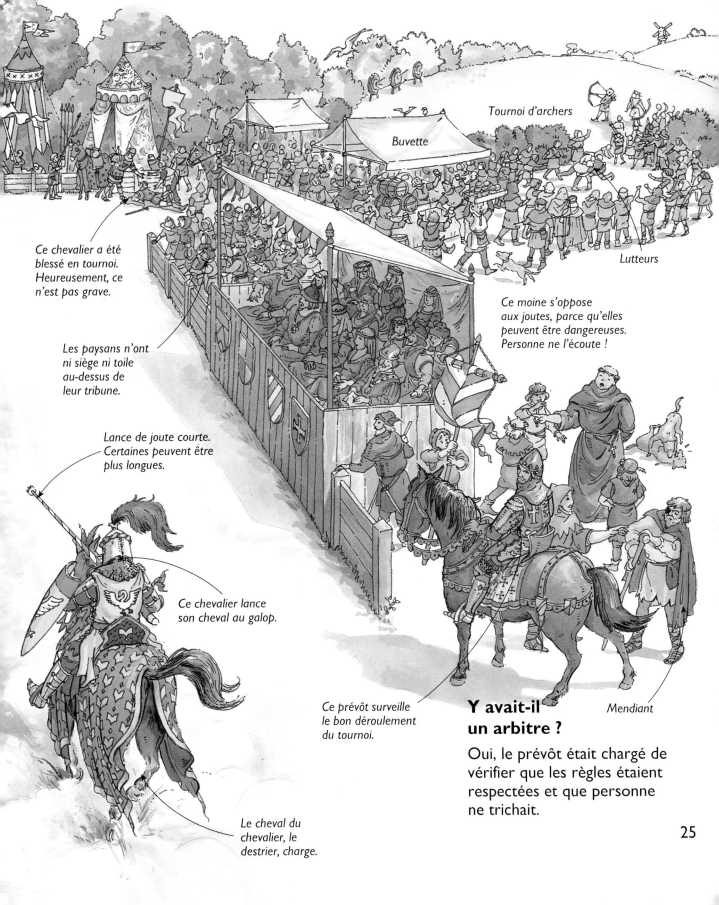

Ce chevalier a été blessé en tournoi. Heureusement, ce n'est pas grave.

Les paysans n'ont ni siège ni toile au-dessus de leur tribune.

Lance de joute courte. Certaines peuvent être plus longues.

Ce chevalier lance son cheval au galop.

Le cheval du chevalier, le destrier, charge.

Tournoi d'archers

Buvette

Lutteurs

Ce moine s'oppose aux joutes, parce qu'elles peuvent être dangereuses. Personne ne l'écoute !

Ce prévôt surveille le bon déroulement du tournoi.

Mendiant

Y avait-il un arbitre ?

Oui, le prévôt était chargé de vérifier que les règles étaient respectées et que personne ne trichait.

Comment défendait-on les châteaux ?

Avec leurs hauts murs de pierre, leurs petites fenêtres et leurs remparts derrière lesquels les soldats pouvaient se protéger, les châteaux étaient bien souvent de véritables forteresses, bâties pour la défense.

Certains étaient même entourés de douves, des fossés profonds et pleins d'eau. Leur pont-levis était relevé au moindre danger.

Remparts

Cette scène illustre le deuxième jour de siège de ce château médiéval, avec une vue en coupe d'une tour pour que tu puisses voir à l'intérieur.

On pouvait laisser tomber des pierres à travers les ouvertures des mâchicoulis.

La herse est une lourde porte de fer qu'on peut abaisser ou relever.

Cet engin s'appelle un bélier. Il sert à défoncer les portes.

Catapulte

Le pont-levis a été relevé. Personne ne peut entrer.

Un soldat se noie.

Est-ce qu'on versait de l'huile bouillante sur les attaquants ?

Cela arrivait. Dans le haut des remparts, il y avait des trous, les mâchicoulis, d'où l'on laissait le plus souvent tomber des pierres ou des morceaux de bois.

Qu'est-ce qu'un siège ?

Quand une armée ennemie tente d'empêcher les habitants d'un château de sortir ou d'entrer, on dit qu'elle fait leur siège. Quand la nourriture à l'intérieur manque, les assiégés doivent se rendre ou mourir de faim.

Ces larges boucliers d'osier protègent les soldats des projectiles lancés ou tirés du château.

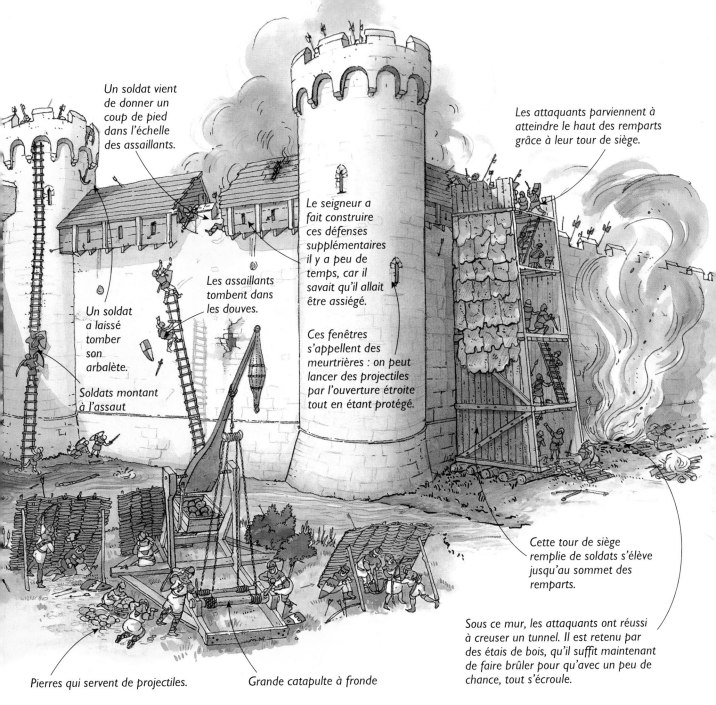

Un soldat vient de donner un coup de pied dans l'échelle des assaillants.

Les attaquants parviennent à atteindre le haut des remparts grâce à leur tour de siège.

Le seigneur a fait construire ces défenses supplémentaires il y a peu de temps, car il savait qu'il allait être assiégé.

Les assaillants tombent dans les douves.

Un soldat a laissé tomber son arbalète.

Ces fenêtres s'appellent des meurtrières : on peut lancer des projectiles par l'ouverture étroite tout en étant protégé.

Soldats montant à l'assaut

Cette tour de siège remplie de soldats s'élève jusqu'au sommet des remparts.

Sous ce mur, les attaquants ont réussi à creuser un tunnel. Il est retenu par des étais de bois, qu'il suffit maintenant de faire brûler pour qu'avec un peu de chance, tout s'écroule.

Pierres qui servent de projectiles.

Grande catapulte à fronde

De quelles armes disposait l'attaquant ?

Il en existait plusieurs. Regarde bien ces pages et tu découvriras, entre autres, des catapultes, une tour de siège et un bélier.

Sais-tu à quoi servait le bélier ?

Avec un bélier, les assaillants pouvaient défoncer les portes et entrer dans le château. Au début, un gros morceau de bois leur suffisait. Plus tard, les béliers ont été équipés de roues et d'un toit pour protéger les soldats des flèches qui étaient tirées du château.

27

Les croisades, qu'est-ce que c'est ?

Les croisades, ou guerres saintes, étaient des expéditions militaires entreprises dès le XIe siècle par les chrétiens d'Occident contre les Turcs musulmans en Terre sainte, les lieux où vécut le Christ.

Pourquoi se battait-on ?

Au XIe siècle, les Arabes ont été conquis par un peuple turc, les Seldjoukides. Dès lors, les chrétiens n'ont plus été les bienvenus en Terre sainte ; ils devaient même payer pour visiter Jérusalem. Décidés à reprendre la Ville sainte, ils ont donc constitué des armées de croisés et sont partis en guerre.

Ce croisé a été blessé lors d'une croisade.

Où se trouve la Terre sainte ?

Dans des pays appelés de nos jours Israël, Jordanie et Liban. Avant les croisades, les chrétiens s'y rendaient pour visiter la Ville sainte de Jérusalem, qui était alors dirigée par les Arabes.

Épices

Cette scène représente quelques croisés de retour en Europe. Ils ont rapporté de Terre sainte des choses inconnues et magnifiques.

Ce très beau tapis a beaucoup de valeur.

Le chien n'a pas oublié son maître.

Cette épice appelée safran avait, et a encore, plus de valeur que l'or.

Qui l'a emporté ?

Les croisades ont duré plus de 200 ans. Les chrétiens se sont emparés de Jérusalem, mais l'ont reperdu. La Ville sainte est finalement restée aux mains des musulmans.

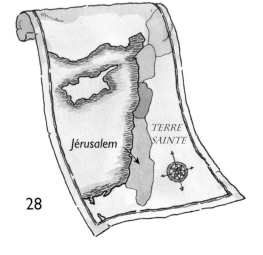

Jérusalem

TERRE SAINTE

Les zones colorées de cette carte indiquent les états chrétiens créés en Terre sainte par les croisés.

Le savais-tu ?

Les croisés ont rapporté de Terre sainte de la soie, des épices, du savon... et l'idée qu'il n'est pas mauvais de prendre quelquefois des bains !

Il existe bien des légendes sur les croisades. En voici une qui parle d'un homme qu'on disait aussi brave qu'un lion. Il était roi d'Angleterre et s'appelait Richard Cœur de Lion.

Le Ménestrel et le Roi

Le roi Richard Cœur de Lion avait combattu pendant deux longues années en Terre sainte. Ses chevaliers s'étaient montrés aussi courageux et experts que leur roi. Ensemble, ils avaient remporté de nombreuses victoires, mais Jérusalem était toujours aux mains de leurs ennemis, les musulmans. Ceux-ci étaient menés par le puissant Saladin. Les croisés français étaient repartis chez eux et le frère de Richard complotait avec le roi français pour s'emparer du trône d'Angleterre.

Richard décida donc de conclure un traité de paix de trois ans avec Saladin afin de rentrer au plus vite en Angleterre et de reprendre en mains les affaires du royaume. Mais le voyage vers l'Europe était aussi dangereux que les croisades elles-mêmes, et Richard disparut.

La cour d'Angleterre apprit qu'il était retenu prisonnier en Autriche ou en Allemagne. Personne ne savait exactement dans quel château. Alors un homme du nom de Blondel, un ami fidèle du roi, partit pour l'Autriche afin de le retrouver.

Blondel était ménestrel. Son travail consistait à chanter et à raconter des histoires. Des années auparavant, lui et Richard avaient écrit une chanson ensemble. C'était cette chanson que le ménestrel chantait maintenant dans toutes les cours des châteaux qu'il parcourait. Et un jour, quelqu'un se mit à chanter avec lui du haut d'une tour. Blondel sut qu'il avait retrouvé le roi !

Il revint en toute hâte en Angleterre et on réunit assez d'argent pour payer la rançon du roi, qui fut libéré. Voici ce que dit la légende. S'il est vrai que Richard aimait la musique et qu'il fut fait prisonnier en Autriche en 1192, qu'en est-il de Blondel ? A-t-il vraiment existé ?

Où trouve-t-on des châteaux aujourd'hui ?

Il existe des centaines de forteresses, de villes fortifiées et de châteaux dans le monde entier. Certains châteaux sont encore habités, d'autres sont en ruine, d'autres encore sont maintenant des musées. Beaucoup sont ouverts au public et tu peux les visiter. En voici quelques-uns.

Au Moyen Âge, l'Allemagne était dirigée par divers princes guerriers. **Braubach** est l'un de ces nombreux châteaux qui surplombent le Rhin.

OCÉAN
ATLANTIQUE

El Real de Manzanares, en Espagne, a été construit en 1475-1480. Il est de style maure. Les Maures (les Arabes) ont dominé l'Espagne pendant de nombreuses années.

Le **Krak des Chevaliers,** en Syrie, a été reconstruit au XIIe siècle par des moines guerriers pour les croisades.

La forteresse de **Fort Delaware,** aux États-Unis, est plus récente, elle fut construite en 1859. Elle a servi de prison pour les soldats confédérés lors de la guerre de Sécession.

Le **Grand Zimbabwe,** au Zimbabwe, est aujourd'hui en ruine. Les murs de cette ville fortifiée, bâtie dans les années 1300, s'élevaient à plus de 10 mètres.

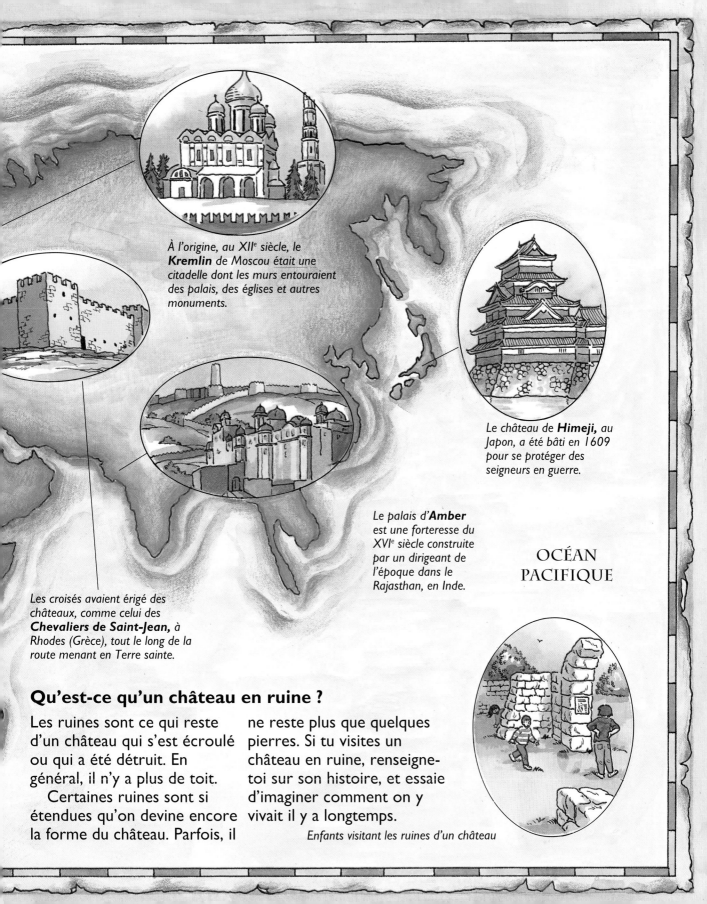

À l'origine, au XIIe siècle, le **Kremlin** de Moscou était une citadelle dont les murs entouraient des palais, des églises et autres monuments.

Le château de **Himeji,** au Japon, a été bâti en 1609 pour se protéger des seigneurs en guerre.

Le palais d'**Amber** est une forteresse du XVIe siècle construite par un dirigeant de l'époque dans le Rajasthan, en Inde.

OCÉAN PACIFIQUE

Les croisés avaient érigé des châteaux, comme celui des **Chevaliers de Saint-Jean,** à Rhodes (Grèce), tout le long de la route menant en Terre sainte.

Qu'est-ce qu'un château en ruine ?

Les ruines sont ce qui reste d'un château qui s'est écroulé ou qui a été détruit. En général, il n'y a plus de toit.

Certaines ruines sont si étendues qu'on devine encore la forme du château. Parfois, il ne reste plus que quelques pierres. Si tu visites un château en ruine, renseigne-toi sur son histoire, et essaie d'imaginer comment on y vivait il y a longtemps.

Enfants visitant les ruines d'un château

Index

Réponses

page 5
Les toilettes donnaient directement sur les murs extérieurs. Cela sentait terriblement mauvais et pouvait propager des maladies.

page 15
Une flèche tirée d'un arc voyageait plus loin, mais celle tirée d'une arbalète voyageait plus vite.

© 1994 Usborne Publishing Ltd, Usborne House, 83-85 Saffron Hill, Londres EC1N 8RT, Grande-Bretagne. © 1996 Usborne Publishing Ltd pour le texte français.